**Cahier
d'écriture**

Graphilettre

CE2-CM1-CM2
de 8 à 11 ans

Les minuscules, les majuscules
et les chiffres

pour droitiers et gauchers

Claude Hebting
Professeur des Écoles

MAGNARD

Sommaire

Conseils d'utilisation

Présentation du cahier

■ Ce cahier propose une révision générale des tracés des lettres minuscules et majuscules selon une **progression** qui tient compte de la difficulté des tracés.

■ Le cahier est jalonné de pages de **révision** qui ponctuent les différentes étapes de l'apprentissage. De plus, des pages de **récréation** permettent à l'enfant de se perfectionner en s'amusant.

■ Ce cahier a été conçu **pour droitiers et gauchers** : un modèle de part et d'autre des lignes d'entraînement permettra à l'enfant, qu'il soit droitier ou gaucher, de bien visualiser la lettre étudiée.

Quelques recommandations

■ D'une manière générale, il convient toujours d'être attentif à :
– la vue de l'enfant,
– sa posture pour écrire (il doit se tenir droit),
– la qualité du stylo utilisé (de préférence un stylo bille à pointe fine),
– la tenue du stylo (entre le pouce, l'index et le majeur).

■ Au stade de l'apprentissage, l'essentiel n'est pas dans la quantité de signes écrits par l'enfant, mais dans **la qualité de l'exécution**. Une séance d'écriture ne doit donc pas être trop longue (environ une demi-heure).

■ Même s'il s'agit d'un cahier de consolidation et de révision des apprentissages, l'écriture reste une activité difficile et rigoureuse. Il faut réactiver ou reprendre des acquis de motricité fine. L'enfant aura donc besoin d'**être accompagné** avec toujours autant de soutien et d'encouragement.

abcdefghijklmnopqrstuvwxyz

Les lettres minuscules

une île

une tour

une tulipe

i *t* *u*

i t u

❶ *i*   .   *i*

❷ *t*   .   *t*

❸ *u*   .   *u*

Repasse sur la lettre.

❹ *i*   *i*

❺ *imiter*   *imiter*

❻ *Dans la petite école d'un petit village perdu…*

Repasse sur la lettre.

❼ *t*   *t*

❽ *la tête*   *la tête*

❾ *Le matin, le maître arrive en trottinette.*

Repasse sur la lettre.

❿ *u*   *u*

⓫ *utile*   *utile*

⓬ *Il aime beaucoup amuser ses élèves.*

Continue et colorie.

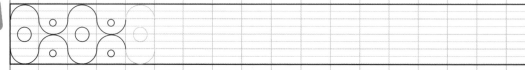

une note

une main

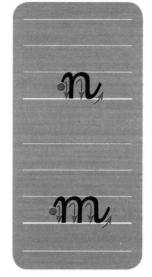

① n ·   n

② m ·   m

③ n – m – ·   – n – m

④ n   n

⑤ la nuit   la nuit

⑥ un nain   un nain

⑦ un nom   un nom

⑧ Il ne donne jamais de leçons ; ça l'ennuie…

Repasse
sur la lettre.

⑨ m   m

⑩ un mot   un mot

⑪ minuit   minuit

⑫ un ami   un ami

⑬ Il met des notes de musique dans le bulletin !

Repasse
sur la lettre.

Continue
et colorie.

7

un os

un as

un chien

c   o   a

c   o   a

① c   .   c

② o   .   o

③ a   .   a

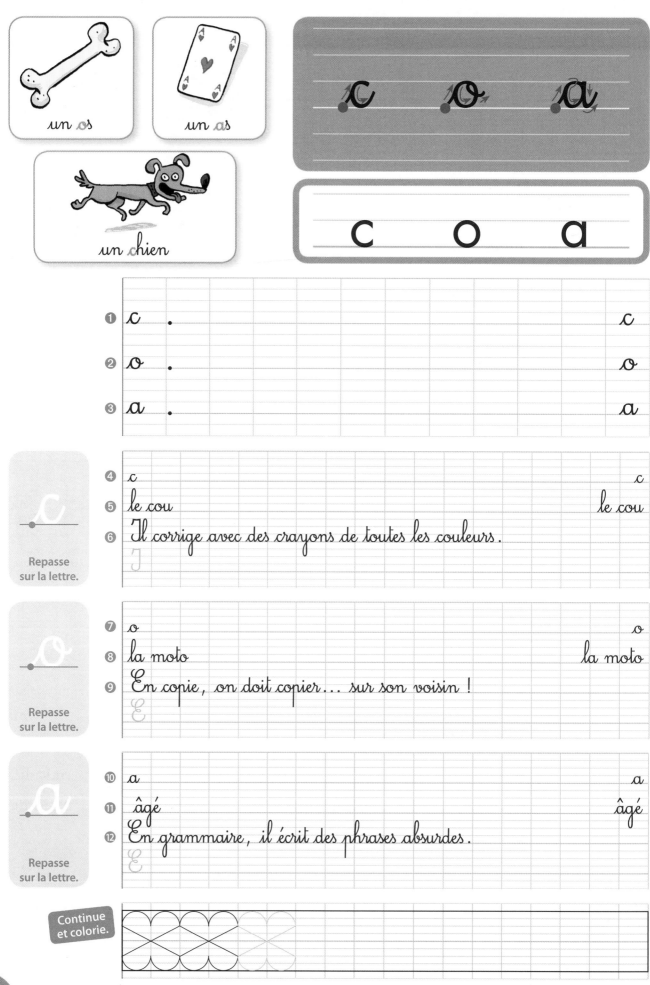

c
Repasse
sur la lettre.

④ c   c
⑤ le cou   le cou
⑥ Il corrige avec des crayons de toutes les couleurs.
   I

o
Repasse
sur la lettre.

⑦ o   o
⑧ la moto   la moto
⑨ En copie, on doit copier… sur son voisin !
   E

a
Repasse
sur la lettre.

⑩ a   a
⑪ âgé   âgé
⑫ En grammaire, il écrit des phrases absurdes.
   E

Continue
et colorie.

8

un dé

une quille

une guitare

d   q   g

d   q   g

❶ d .   d

❷ q .   q

❸ g .   g

Repasse sur la lettre.

❹ d   d

❺ la dinde   la dinde

❻ Les devoirs sont des devinettes ou des charades.

Repasse sur la lettre.

❼ q   q

❽ quand   quand

❾ Avec lui, quatre et quatre font quarante-quatre !

Repasse sur la lettre.

❿ g   g

⓫ un gag   un gag

⓬ En géométrie, il dessine des figures de gens connus.

Continue et colorie.

9

une élève

un dessin

un escargot

la tête

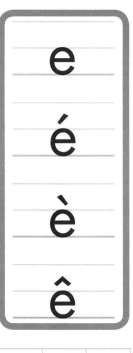

e
é
è
ê

Repasse
sur la lettre.

① e .   e

② é - è - .   - é - è

③ ê .   ê

④ e   e

⑤ elle   elle

⑥ l'encre   l'encre

⑦ de l'eau   de l'eau

⑧ En géographie, il montre des cartes au trésor...
E

⑨ é - è - ê -   é - è - ê

⑩ le dé   le dé

⑪ un élève   un élève

⑫ un rêve   un rêve

⑬ Il a un problème avec les mathématiques !
I

Continue.

Révision

Copie.

i t u n m c o a d q g e

Recopie la poésie.

En passant près d'une phrase,
quelques mots doux se reposent ;
le hasard, par hasard, les a mis là
et une bulle qui passait par là
les avale doucement en roulant sur la page,
puis vient se poser sur le dessin que je fais
pour tous les gens que j'aime.

E

Continue et colorie.

Récréation

1 Écris les mots codés. (solutions en bas de page)

1	2	3	4	5	6	7	8	9	10	11	12
i	t	u	n	m	c	o	a	d	q	g	e

- 5 – 1 – 4 – 3 – 2 – 12
- 6 – 8 – 9 – 12 – 8 – 3
- 6 – 1 – 4 – 10
- 4 – 8 – 11 – 12

_____   _____   _____   _____

2 Trouve un nouveau mot avec une lettre en plus. (solutions en bas de page)

Exemples : roue + t = route ; pince + r = prince.

mode + n = _____

rage + o = _____

page + l = _____

cou + l = _____

bague + l = _____

nage + u = _____

mare + i = _____

puce + o = _____

3 Change une lettre pour trouver un nouveau mot. (solutions en bas de page)

Exemples : oncle ➜ change le c ➜ ongle ; poule ➜ change le p ➜ boule.

roche ➜ change le o ➜ _____

roche ➜ change le r ➜ _____

comme ➜ change le c ➜ _____

tuile ➜ change le u ➜ _____

piste ➜ change le i ➜ _____

4 Décore les lettres.

Exemples :

un vélo

une roue

un wagon

v   w   r

① v •   v

② w •   w

③ r •   r

④ v   v

⑤ le vent   le vent

⑥ Il chante à vive voix pour annoncer la récré.

Repasse sur la lettre.

⑦ w   w

⑧ le clown   le clown

⑨ Le week-end, c'est vacances jusqu'au lundi !

Repasse sur la lettre.

⑩ r   r

⑪ un verre   un verre

⑫ En écriture, pour rire, il décore les lettres.

Repasse sur la lettre.

Continue et colorie.

13

une flûte

un bol

un lit

l   b   f

① l .   l

② b .   b

③ f .   f

l

Repasse
sur la lettre.

④ l   l

⑤ le lac   le lac

⑥ Pour lire, il met des grandes lunettes de soleil.
P

b

Repasse
sur la lettre.

⑦ b   b

⑧ le bus   le bus

⑨ Il donne des bons points aux élèves qui font des blagues.
J

f

Repasse
sur la lettre.

⑩ f   f

⑪ une fée   une fée

⑫ Il est vraiment farfelu ; c'est un sacré farceur !
J

Continue
et colorie.

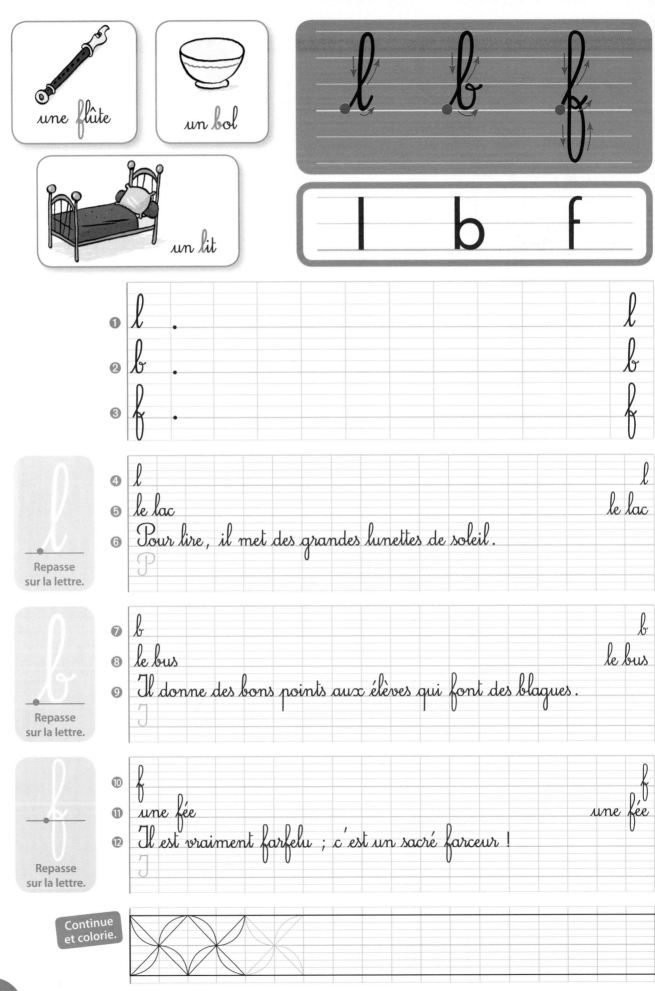

un hibou

un koala

❶ h .   h

❷ k .   k

❸ h - k -   - h - k

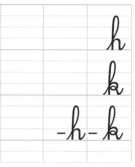

Repasse
sur la lettre.

❹ h   h

❺ hello !   hello !

❻ chut   chut

❼ l'hôtel   l'hôtel

❽ En histoire, il raconte des histoires drôles !

❾ k   k

❿ le koala   le koala

⓫ le kayak   le kayak

⓬ A la kermesse, il anime un karaoké comique.

Repasse
sur la lettre.

Continue
et colorie.

un parapluie

une jupe

des yeux

p j y

p j y

① p .

② j .

③ y .

p

j

y

Repasse sur la lettre.

④ p

⑤ un pas

⑥ Il fait apprendre le verbe rire au passé décomposé !

p

un pas

Repasse sur la lettre.

⑦ j

⑧ toujours

⑨ Il change le cahier du jour tous les jours.

j

toujours

Repasse sur la lettre.

⑩ y

⑪ un yoyo

⑫ Il a un air sympathique ; il est toujours joyeux.

y

un yoyo

Continue et colorie.

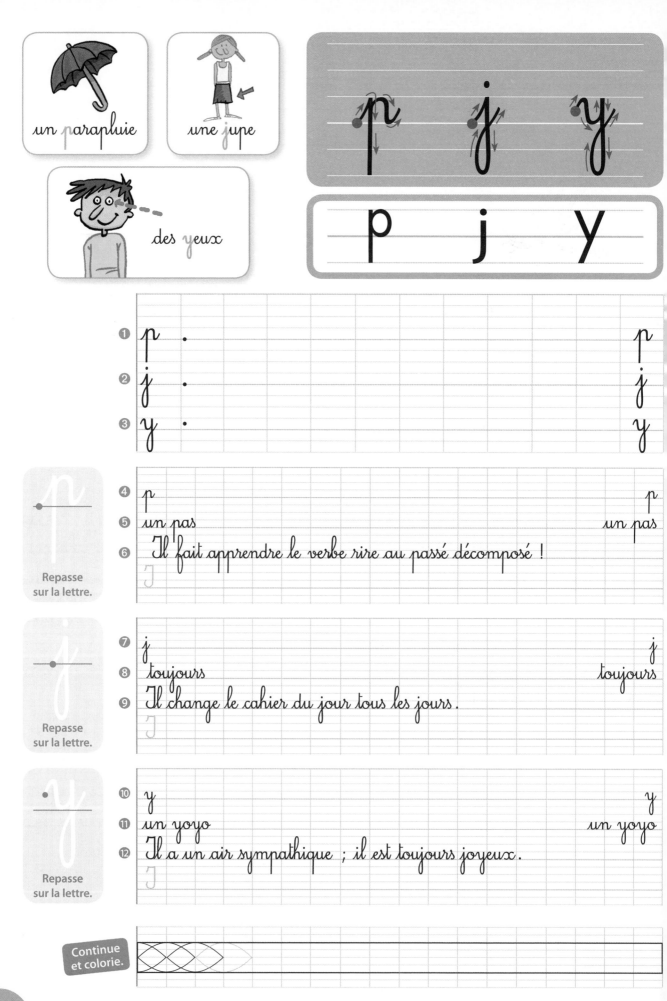

une souris

un zèbre

deux chevaux

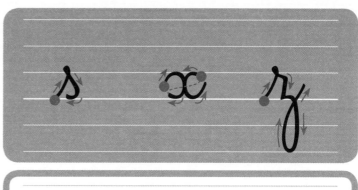

S   X   Z

① s .   s

② x .   x

③ z .   z

Repasse sur la lettre.

④ s   s

⑤ dessus   dessus

⑥ En sciences, il se déguise en savant hirsute.
E

Repasse sur la lettre.

⑦ x   x

⑧ le prix   le prix

⑨ Il explose de joie quand il réussit une expérience.
J

Repasse sur la lettre.

⑩ z   z

⑪ un nez   un nez

⑫ Pas de zizanie, un zeste d'humour : voilà la règle en classe.
P

Continue et colorie.

17

La ponctuation

. , ; : … ? ! « » ( )

? ! « »

Repasse sur les signes.

❶ . , ; : … ? ! « » ( )

❷ ?   ?

❸ !   !

❹ ;   ;

❺ « »   « »

Recopie le texte.

Comme elle est sympa, cette école !
Tous les enfants s'entendent bien. Lorsqu'il y a un problème,
on s'arrange. Comment fait-on ? Il y a toujours un copain
ou une copine qui dit : « On discute gentiment ! »
C'est bien mieux comme ça… Chacun se respecte ; les enfants
vivent ensemble sans se disputer. C'est super !

Continue et colorie.

Révision

Recopie l'alphabet.

a b c d e f g h i j k l m n o p q r s t u v w x y z

→

→

Comme moi

Tu as des yeux, comme moi,
même si tu ne regardes pas
les mêmes choses.
Tu parles, comme moi,
même si tu ne dis pas
les mêmes mots.
Comme moi, tu entends le bruit du vent.

Ton visage est comme le mien,
même si tu ne me ressembles pas.
Tu as la couleur de ta peau,
comme moi j'ai la mienne.
Comme moi tu penses, tu rêves,
tu joues, tu ris, tu pleures.
Tu es différent et pourtant tu es pareil.
Tu es comme moi…

Copie.

Récréation

1 ● Les animaux suivants ont perdu leurs voyelles. Retrouve-les ! (solutions en bas de page)

cr . c . d . l . → _____   g . z . ll . → _____

● Les animaux suivants ont perdu leurs consonnes. Retrouve-les ! (solutions en bas de page)

a . . i . a . o . → _____   . o . . ue → _____

2 Trouve un nouveau mot avec une lettre en moins. (solutions en bas de page)
Exemples : cour → cou (on a enlevé le r) ; roue → rue (on a enlevé le o).

vitre → _____   sombre → _____

cause → _____   pain → _____

3 Change la première lettre pour trouver un nouveau mot. (solutions en bas de page)
Exemples : linge → singe ; monde → ronde

fable → _____   fête → _____

sage → _____   saison → _____

4 Entoure ton prénom ou le mot de ton choix avec des lignes.
Les lignes ne doivent pas se toucher.
Exemple :

5 **Les calligrammes.** Écris le petit texte autant de fois que nécessaire en suivant les pointillés.

Les chiffres

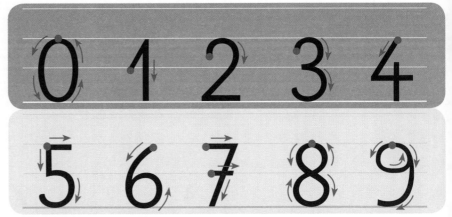

0 1 2 3 4

5 6 7 8 9

Copie.

0 1 2 3 4 5 6 7 8 9

Copie.

| 0 1 2 3 4 - | | - 0 1 2 3 4 |
| 5 6 7 8 9 - | | - 5 6 7 8 9 |

Continue.

1	2	3	…	…			
11	…						
21	…						

Copie.

20-19-18-17-16-15-14-13-12-11-10-9-8-7-6-5-4-3-2-1-0

Continue et colorie.

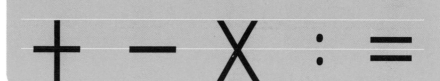

Copie.

$+$ $-$ X $:$ $=$ $+$ $-$ X $:$ $=$

Copie.

9 8 7 6 5 -   - 9 8 7 6 5

4 3 2 1 0 -   - 4 3 2 1 0

Copie.

$43 + 25 = 68$ $97 - 35 = 62$ $12 X 3 = 36$ $55 : 5 = 11$

Continue.

$9 + 0 = 9$ $10 X 0 = 0$ $11 X 0 = 0$

$9 + 1 = 10$ $10 X 1 = 10$ $11 X 1 = 11$

$9 + 2 = 11$ $10 X 2 = 20$ $11 X 2 = 22$

$9 + ... = ...$ $10 X ... = ...$ $11 X ... = ...$

Continue et colorie.

Récréation

1   **Les chiffres en case.** Copie les chiffres suivants.

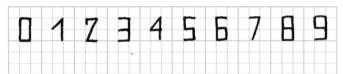

2   **Les chiffres de la calculette.** Écris les nombres indiqués en noircissant les petites formes.

Exemple : 0123456789 →

53261 →    98310 →

79840 →    24756 →

3   Choisis un chiffre et invente un dessin à partir de ce chiffre.
Exemples :

4   Il y a 8 chiffres cachés dans le dessin. Sauras-tu les retrouver ? (solution en bas de page)

ABCDEFGHIJKLMNOPQRSTUVWXYZ

Les lettres majuscules

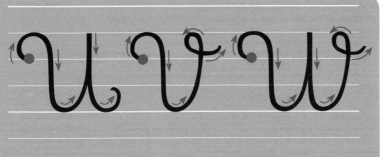

U V W

1. $\mathcal{U}$. $\mathcal{U}$
2. $\mathcal{V}$. $\mathcal{V}$
3. $\mathcal{W}$. $\mathcal{W}$

Repasse sur la lettre.

4. $\mathcal{U}$ $\mathcal{U}$
5. Ursule   Ursule
6. Urban   Urban

Repasse sur la lettre.

7. $\mathcal{V}$ $\mathcal{V}$
8. Vincent   Vincent
9. Valentin   Valentin

Repasse sur la lettre.

10. $\mathcal{W}$ $\mathcal{W}$
11. Wanda   Wanda
12. Willy   Willy

Copie.   Uzès, Vesoul et Woippy sont des petites villes de France.

Continue et colorie.

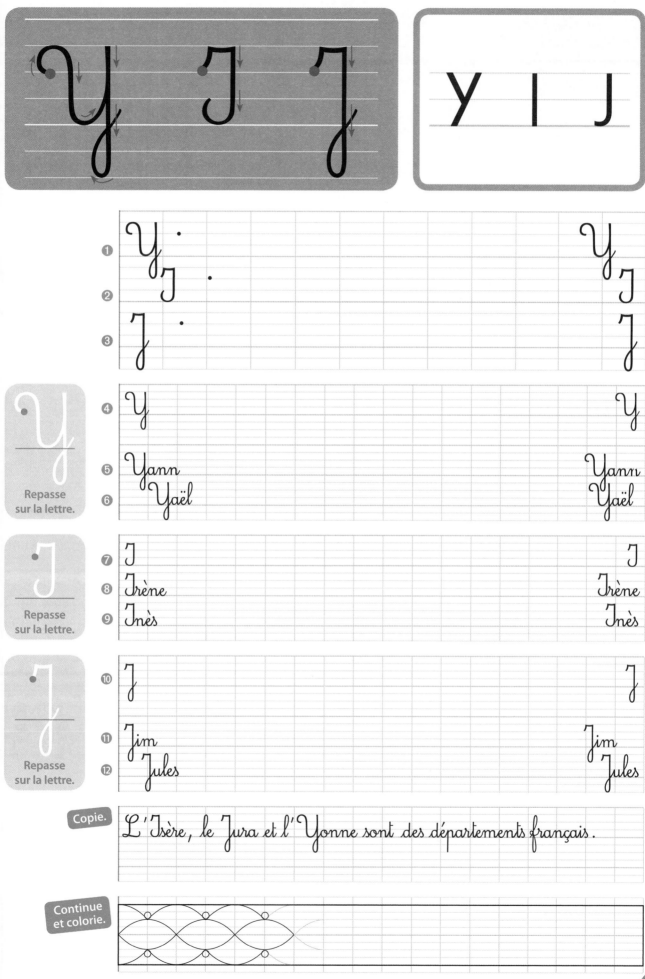

Y | J

① Y
② J
③ J

Y J
Y J
J J

Repasse sur la lettre.

④ Y   Y
⑤ Yann   Yann
⑥ Yaël   Yaël

Repasse sur la lettre.

⑦ J   J
⑧ Irène   Irène
⑨ Inès   Inès

Repasse sur la lettre.

⑩ J   J
⑪ Jim   Jim
⑫ Jules   Jules

Copie.

L'Isère, le Jura et l'Yonne sont des départements français.

Continue et colorie.

27

❶ $\mathcal{A}$. · $\mathcal{A}$

❷ $\mathcal{N}$. · $\mathcal{N}$

❸ $\mathcal{M}$. · $\mathcal{M}$

Repasse
sur la lettre.

❹ $\mathcal{A}$ $\mathcal{A}$

❺ Anna   Anna

❻ Alix   Alix

Repasse
sur la lettre.

❼ $\mathcal{N}$ $\mathcal{N}$

❽ Nora   Nora

❾ Nino   Nino

Repasse
sur la lettre.

❿ $\mathcal{M}$ $\mathcal{M}$

⓫ Max   Max

⓬ Macha   Macha

Copie.

Antibes, Nice et Menton sont sur la Côte d'Azur.

Continue
et colorie.

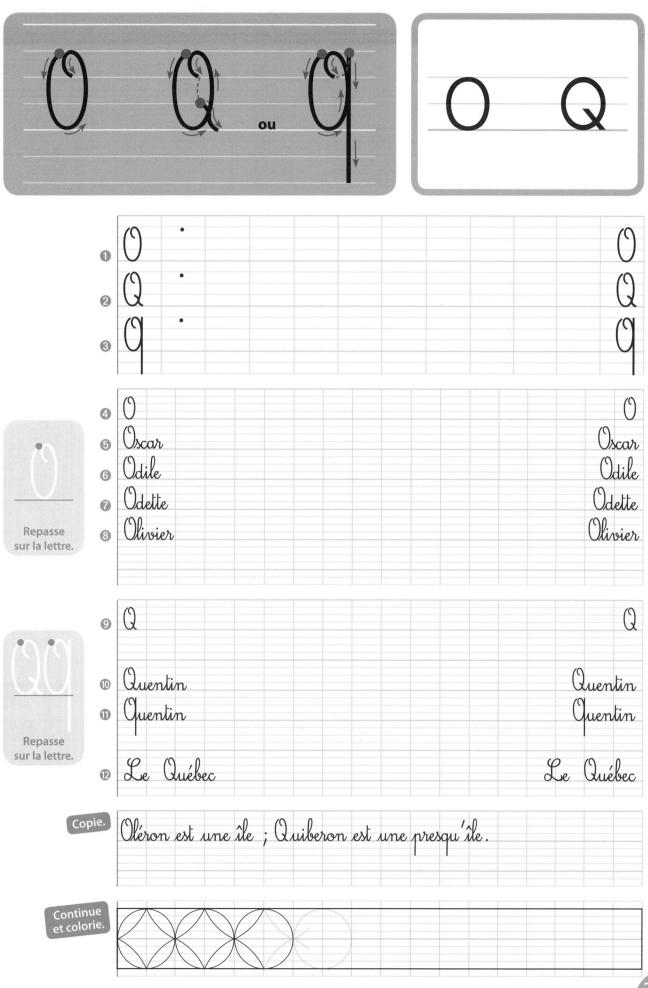

ou

① O   •   O

② Q   •   Q

③ Q   •   Q

Repasse sur la lettre.

④ O   O
⑤ Oscar   Oscar
⑥ Odile   Odile
⑦ Odette   Odette
⑧ Olivier   Olivier

Repasse sur la lettre.

⑨ Q   Q
⑩ Quentin   Quentin
⑪ Quentin   Quentin
⑫ Le Québec   Le Québec

Copie.

Oléron est une île ; Quiberon est une presqu'île.

Continue et colorie.

29

ou

C T

1  𝒞 ⋅

2 𝒯 ⋅

3 𝒯 ⋅

Repasse
sur la lettre.

4 𝒞   𝒞

5 Céline   Céline

6 Charles   Charles

7 Chloé   Chloé

Repasse
sur la lettre.

8 𝒯   𝒯

9 Tim   Tim

10 Théo   Théo

11 Thomas   Thomas

Copie.

La Corse est surnommée l'île de beauté.

Toulouse est aussi appelée la ville rose.

Continue
et colorie.

Révision

 Copie.

$$\mathcal{U}\ \mathcal{V}\ \mathcal{W}\ \mathcal{Y}\ \mathcal{I}\ \mathcal{J}\ \mathcal{A}\ \mathcal{N}\ \mathcal{M}\ \mathcal{O}\ \mathcal{Q}\ \mathcal{C}\ \mathcal{T}$$

Exercice 1 Recopie le texte à côté.

Mots...

Un mot, un seul…
Voici qu'un deuxième apparaît.
Tiens, en voilà trois !
Que c'est beau l'écriture !
Où êtes-vous les mots, les autres ?
A votre place dans le dictionnaire ?
Cachés dans les cahiers des écoliers ?
A la fête dans les livres ?
Ne partez plus, venez !
Je veux écrire…

Exercice 2 Écris la majuscule des lettres suivantes.

u →	i →	n →	q →
v →	j →	m →	c →
w →	a →	o →	t →
y →			

Récréation

1 Copie les majuscules suivantes en respectant bien leur taille.

U V W Y I J A N M O Q C T

2 Copie les majuscules suivantes en écrivant chaque lettre dans une case.

U V W Y I J A N M O Q C T

3 Autrefois, en écrivant à la plume, on allongeait parfois la première et la dernière lettre d'un mot.

Exemples :

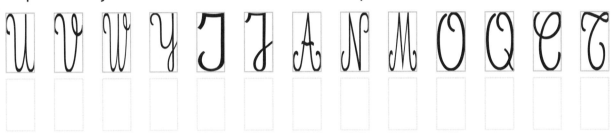

Essaie toi aussi avec un prénom de ton choix.

4 Autrefois, on agrandissait et on décorait la première majuscule d'un texte ou d'un paragraphe.

Exemples : Il était une fois A V

À ton tour, choisis des lettres à décorer.

G E

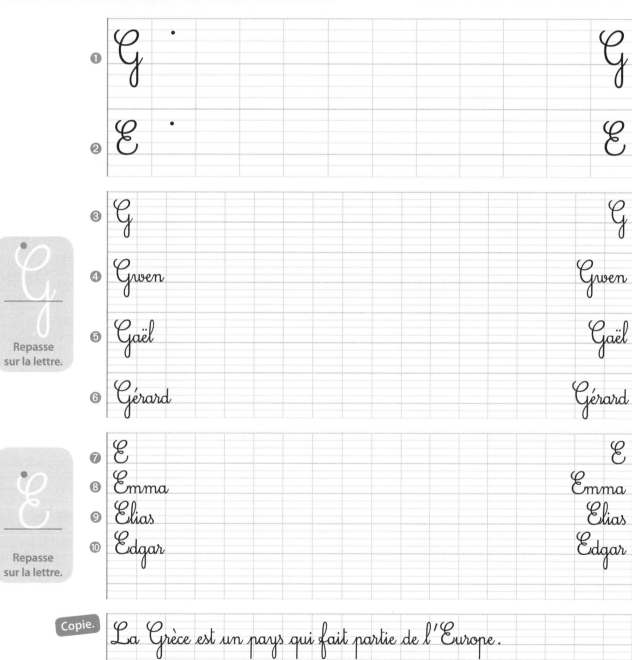

1 G . G

2 E . E

3 G G

4 Gwen Gwen

5 Gaël Gaël

6 Gérard Gérard

Repasse sur la lettre.

7 E E

8 Emma Emma

9 Elias Elias

10 Edgar Edgar

Repasse sur la lettre.

Copie.

La Grèce est un pays qui fait partie de l'Europe.

Continue et colorie.

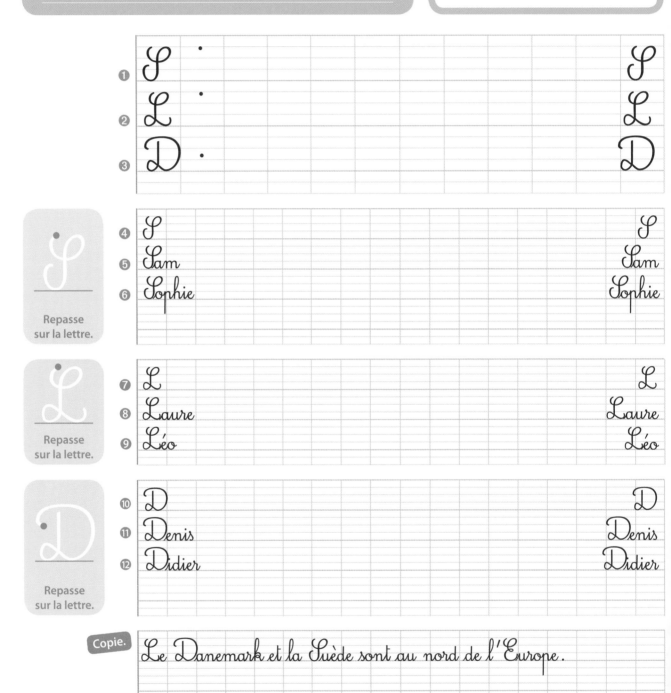

① $\mathscr{S}$. $\mathscr{S}$

② $\mathscr{L}$. $\mathscr{L}$

③ $\mathscr{D}$. $\mathscr{D}$

Repasse sur la lettre.

④ $\mathscr{S}$ $\mathscr{S}$

⑤ Sam   Sam

⑥ Sophie   Sophie

Repasse sur la lettre.

⑦ $\mathscr{L}$ $\mathscr{L}$

⑧ Laure   Laure

⑨ Léo   Léo

Repasse sur la lettre.

⑩ $\mathscr{D}$ $\mathscr{D}$

⑪ Denis   Denis

⑫ Didier   Didier

Copie.

Le Danemark et la Suède sont au nord de l'Europe.

Continue et colorie.

F P

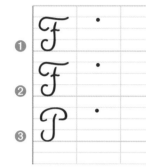

① $\mathcal{F}$ · $\mathcal{F}$

② $\mathcal{F}$ · $\mathcal{F}$

③ $\mathcal{P}$ · $\mathcal{P}$

Repasse sur la lettre.

④ $\mathcal{F}$ $\mathcal{F}$

⑤ Fanny   Fanny

⑥ Félicie   Félicie

⑦ Fabienne   Fabienne

⑧ Félix   Félix

Repasse sur la lettre.

⑨ $\mathcal{P}$ $\mathcal{P}$

⑩ Pierre   Pierre

⑪ Paula   Paula

⑫ Patrice   Patrice

⑬ Peggy   Peggy

Copie.   Paris est la capitale de la France.

Continue et colorie.

1. $\mathcal{R}$ · $\mathcal{R}$
2. $\mathcal{R}$ · $\mathcal{R}$ $\mathcal{R}$
3. $\mathcal{B}$ · $\mathcal{B}$

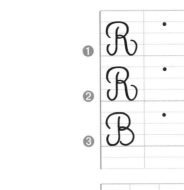

Repasse sur la lettre.

4. $\mathcal{R}$ $\mathcal{R}$
5. Rémi — Rémi
6. Robert — Robert
7. Reine — Reine
8. Rosa — Rosa

Repasse sur la lettre.

9. $\mathcal{B}$ $\mathcal{B}$
10. Barbara — Barbara
11. Boris — Boris
12. Brice — Brice
13. Betty — Betty

Copie.

Strasbourg est situé dans le département du Bas-Rhin.

 Continue et colorie.

① ℋ · ℋ

② ℋ · ℋ

③ 𝒦 · 𝒦

④ 𝒦 · 𝒦

Repasse
sur la lettre.

⑤ ℋ · ℋ

⑥ Hervé · Hervé

⑦ Hector · Hector

⑧ Le Havre se trouve à l'embouchure de la Seine.

⑨ ℒ

Repasse
sur la lettre.

⑩ 𝒦 · 𝒦

⑪ Kate · Kate

⑫ Karima · Karima

⑬ Kourou est un centre spatial en Guyane.

⑭ 𝒦

 Copie.

La Hollande - Le Kénia - La Hongrie

 **Continue
et colorie.**

Z X

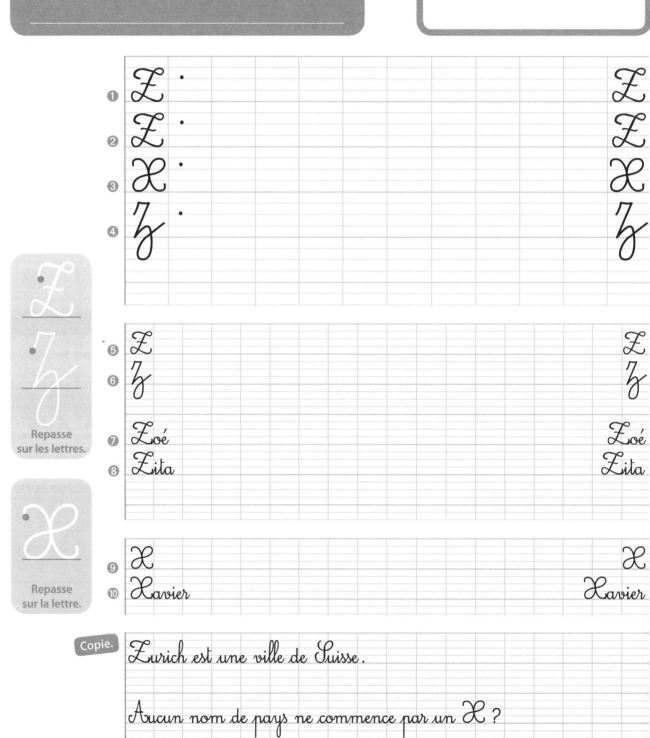

① 𝒵 .

② 𝒵 .

③ 𝒳 .

④ 𝓏 .

⑤ 𝒵

⑥ 𝓏

⑦ Zoé

⑧ Zita

⑨ 𝒳

⑩ Xavier

Repasse sur les lettres.

Repasse sur la lettre.

Copie. Zurich est une ville de Suisse.

Aucun nom de pays ne commence par un 𝒳 ?

Continue et colorie.

38

Révision

Copie.

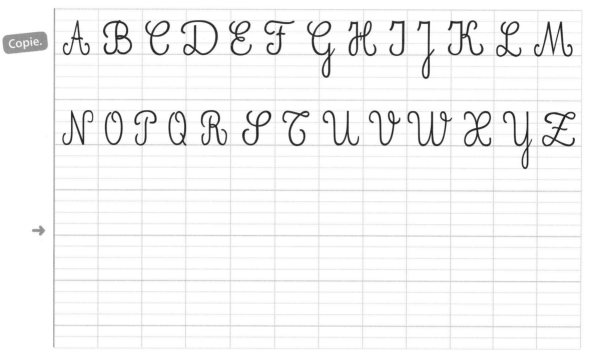

A B C D E F G H I J K L M

N O P Q R S T U V W X Y Z

Recopie la poésie.

Parce que

Dis, pourquoi
les fleurs se parfument ?
Parce que…
Dis, pourquoi
le jour n'est jamais fatigué
de se lever tous les matins ?
Parce que…
Dis, pourquoi
la nuit tombe
sans se faire mal ?
Parce que…
Dis, pourquoi
les mots s'écrivent en silence
sur une page ?
Parce que…

Déclaration universelle des droits de l'homme (extrait)

Article 1er
Tous les êtres humains naissent libres et égaux en dignité et en droits. Ils sont doués de raison et de conscience et doivent agir les uns envers les autres dans un esprit de fraternité.

Article 2
Chacun peut se prévaloir de tous les droits et de toutes les libertés proclamés dans la déclaration, sans distinction aucune, notamment de race, de couleur, de sexe, de langue, de religion, d'opinion politique ou de toute autre opinion, d'origine nationale ou sociale, de fortune, de naissance ou de toute autre situation.

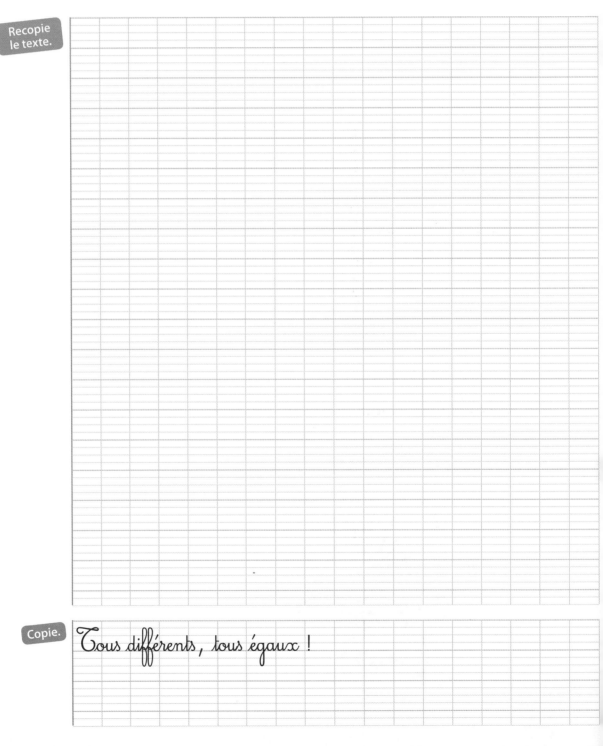

Recopie le texte.

Copie.

Tous différents, tous égaux !

Récréation

1 Dessine la plaque de la rue ou de la place où tu habites.
Exemple :

2 Imagine une affiche pour la fête de l'école.
Écris le titre, la date, les horaires et le lieu en utilisant des écritures différentes.
Exemple :

3 **Les lettres dans le « brouillard ».** On écrit très finement la lettre au crayon,

sans appuyer ( ), puis on repasse dessus en faisant trembler le trait ( ).

Exemples :

Essaie toi aussi avec un nom ou un mot de ton choix.

Dessine avec des lettres.
Tu peux utiliser des crayons de couleur.

Exemples :

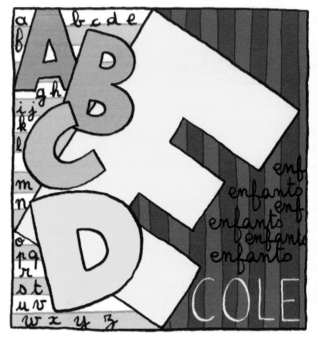

- À partir d'une lettre, avec des mots…

- Avec plusieurs lettres…

- À partir d'une lettre

- Avec plusieurs lettres (avec tes initiales par exemple)

ABCDEFGHIJKLMNOPQRSTUVWXYZ

Les majuscules d'imprimerie

A B C D E F G H I J K L M

Copie.

A B C D E F G H I J K L M N O P Q R S T U V W X Y Z

→

→

→

Exercice 1 — Écris chaque mot en majuscules d'imprimerie.

alphabet →

deux →

voyage →

cahier →

gazon →

fable →

justice →

paysage →

wapiti →

kilo →

Exercice 2 — Écris ces proverbes en majuscules d'imprimerie.

On a souvent besoin d'un plus petit que soi.

→

L'appétit vient en mangeant.

→

A l'impossible, nul n'est tenu.

→

Continue et colorie.

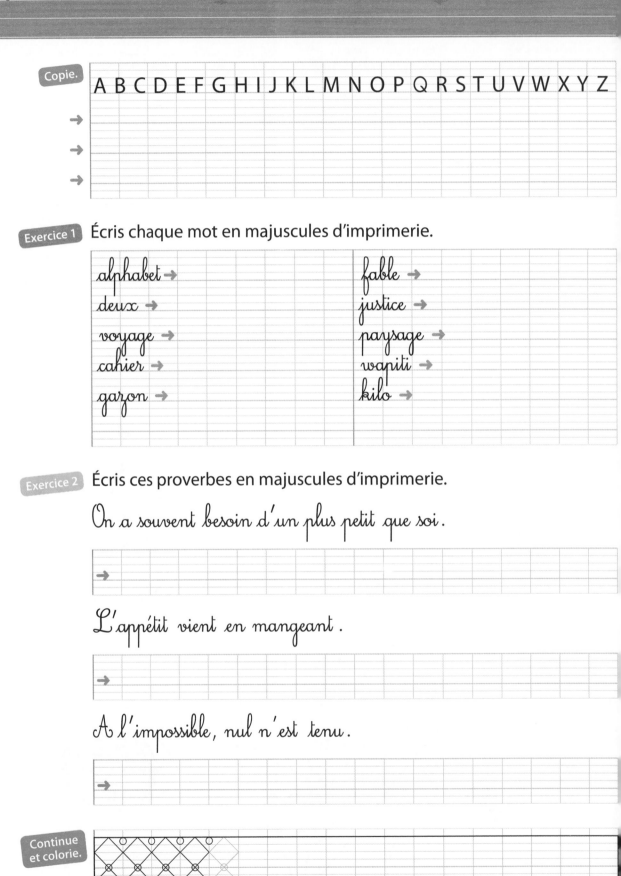

44

Exercice 3 Complète en écrivant en majuscules d'imprimerie (une lettre par case).

Nom :

Prénom :

Date de naissance :

Lieu de naissance :

Adresse (n° et rue) :

Ville :

Code postal :

Exercice 4 Écris chaque mot en majuscules d'imprimerie.

école →   boulangerie →

collège →   épicerie →

bibliothèque →   boucherie →

mairie →   pharmacie →

gare →   librairie →

Copie.

LIBERTE   -   EGALITE   -   FRATERNITE

Continue et colorie.

Récréation

1 Observe comment sont illustrées les lettres.
Essaie, toi aussi, d'écrire ton prénom sur ce modèle.

A B C D E F G H I J K L M N
O P Q R S T U V W X Y Z

---

2 Trouve le mot caché dans la colonne bleue. (solution en bas de page)

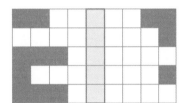

→ Pour boire le café.
→ Tu en fais dans ce cahier.
→ Pour aller au lit.
→ Celui qui va à l'école.
→ Il se lève le jour.

Le mot caché est :

_____

---

3 À l'aide des définitions, trouve les nouveaux mots en ajoutant une lettre à chaque fois. (solution en bas de page)

Exemple :

A	G	E		
P	A	G	E	→ AGE + P
P	L	A	G	E	→ PAGE + L
P	E	L	A	G	E	→ PLAGE + E

U	N			

→ Ensemble.
→ Après le jour.
→ Avec la dizaine.

Solutions :

46

● Découpe ta réglette.
Colle-la sur du carton ou plastifie-la.

● Garde-la comme modèle à portée de main.

Modèles d'écriture

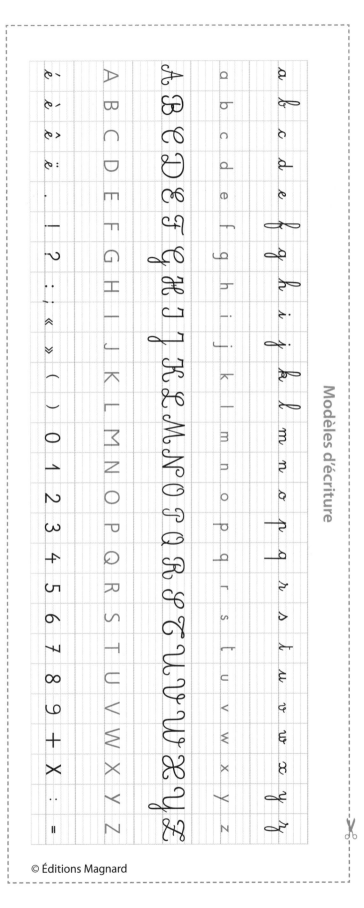

Édition : Charlotte Cordonnier
Maquette intérieure et couverture : Muriel Ouziane
Illustration de couverture : Jean-Claude Gibert
Illustrations intérieures : Loïc Méhée
Mise en pages : Typo-Virgule

© Éditions Magnard, 2008, Paris.

Achevé d'imprimer en Décembre 2014 en Italie par «La Tipografica Varese Srl»
Dépôt légal : Septembre 2008 – N° éditeur : 2015-0381